La tempête du siècle

Robert Munsch

Michael
Martchenko

Texte français de
Christiane Duchesne

Les illustrations de ce livre ont été
réalisées à l'aquarelle sur du carton à dessin.

Le texte a été composé en caractères
Barcelona ITC Std 22/26 points.

Catalogage avant publication de Bibliothèque et Archives Canada

Munsch, Robert N., 1945-
(So much snow! Français)
La tempête du siècle / Robert Munsch ; illustrations de Michael
Martchenko ; texte français de Christiane Duchesne.

Traduction de : So much snow!
ISBN 978-1-4431-4618-0 (couverture souple)

I. Martchenko, Michael, illustrateur II. Duchesne, Christiane,
1949-, traducteur III. Titre. IV. Titre: So much snow! Français.

Édition publiée par les Éditions Scholastic, 604, rue King Ouest, Toronto (Ontario)
M5V 1E1 Canada.

7 6 5 4 3 Imprimé en Malaisie 108   19 20 21 22 23

Pour Jasmine Moran,
de Lockport, dans l'État de New York.
— R.M.

— Regarde! s'écrie la maman
de Jasmine. Une tempête arrive!
Il va tomber des tonnes de neige.
Il vaudrait peut-être mieux que
tu n'ailles pas à l'école.

— Il n'y a même pas encore de
neige, répond Jasmine. Et puis,
j'aime la neige et je veux aller
à l'école. C'est la journée pizza
aujourd'hui.

— Habille-toi chaudement,
dit sa maman.

Jasmine s'habille chaudement. Dès qu'elle sort, il commence à neiger très fort.

Jasmine chante :

De la neige jusqu'aux chaussettes,
Y a rien de plus chouette!
De la neige jusqu'aux chaussettes,
Y a rien de plus chouette!
J'aime, j'aime, j'aime les tempêtes!

Jasmine prend le chemin de
l'école. Quand elle arrive au coin
de la rue, elle a déjà de la neige
jusqu'aux genoux.

Jasmine chante :
Je ne vois plus mes pieds,
Mes genoux sont gelés.
Je ne vois plus mes pieds,
Mes genoux sont gelés.
J'aime, j'aime, j'aime les tempêtes!

Jasmine traverse la rue.
Elle marche, marche, marche
en direction de l'école et bientôt,
elle a de la neige jusqu'aux fesses.
Jasmine chante :
La neige tombe sans cesse.
Je ne sens plus mes fesses!
La neige tombe sans cesse.
Je ne sens plus mes fesses!
J'aime, j'aime, j'aime les tempêtes!

Jasmine marche, marche, marche encore. Elle voit l'école, mais elle a de la neige jusqu'au bout du nez.

Jasmine chante :
J'en ai jusqu'au bout du nez.
Je suis frigorifiée.
J'en ai jusqu'au bout du nez.
Je suis frigorifiée.
Est-ce que j'aime vraiment les tempêtes?

Jasmine s'arrête. La neige
tombe toujours. Bientôt, on ne
voit plus que le haut de sa tuque.

Jasmine chante :
J'en ai par-dessus la tête,
Ce n'est pas chouette.
J'en ai par-dessus la tête,
Ce n'est pas chouette.
Je n'aime plus du tout les tempêtes!

Elle continue à chanter pendant un long moment. Le concierge de l'école, chaussé de raquettes, s'approche de Jasmine.

Il la tire par la tuque et s'écrie :

— AAAAAAAAH! Une petite fille frigorifiée!

Puis il repart à grands pas dans la tempête, traînant Jasmine derrière lui.

— Où allons-nous? demande-t-elle.

— Au bureau de l'infirmière, répond le concierge. Il faut que tu te réchauffes. Et quand tu te sentiras bien, tu pourras aller en classe.

Il amène Jasmine à l'infirmerie
et la dépose sur une chaise.

L'adjointe du directeur entre alors.

— Tu es un vrai bloc de glace!
s'exclame-t-elle. Il faut te réchauffer.
Voici de bonnes couvertures chaudes.

Elle l'enveloppe dans dix couvertures,
mais Jasmine ne dégèle pas.

La secrétaire de l'école entre
à son tour.

— Tu es un vrai bloc de glace!
s'exclame-t-elle. Il faut te réchauffer.
Je vais te préparer un bon chocolat
chaud.

Elle le verse dans la bouche de
Jasmine.

— Miam! dit cette dernière.

Mais elle ne dégèle toujours pas.

Le concierge revient. Il observe Jasmine et lui dit :

— Toujours gelée? Voyons ce que je peux faire...

Il prend un énorme plumeau et chatouille Jasmine sous le menton.

Jasmine se met à rire et

CRAC!

la glace explose en mille morceaux.

Le concierge l'accompagne
jusqu'à sa classe. En chemin,
ils passent devant le bureau
du directeur.

— Que fais-tu là? demande le directeur. Dehors, c'est la tempête! Et ça va durer toute la journée. L'école est fermée. Tout le monde est rentré à la maison!

— Ah non! dit Jasmine, c'est la journée pizza aujourd'hui!

Alors ils vont tous au
restaurant. Jasmine chante :

Un peu de neige ou bien des tonnes,
Si on s'occupe bien de moi,
Je suis contente et je chantonne.
J'aime, j'aime, j'aime les tempêtes!